LAPIN-CHAGRIN
et les jours d'Elko

Sylvie Nicolas ● Marion Arbona

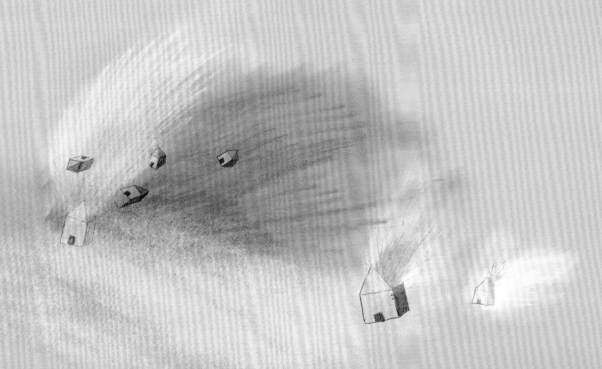

163e manuscrit reçu et 16e livre publié

Catalogage avant publication de Bibliothèque et Archives nationales du Québec et Bibliothèque et Archives Canada

Nicolas, Sylvie, 1956-

Lapin-Chagrin et les jours d'Elko

(Collection Trouvailles)
Pour enfants de 6 ans et plus.

ISBN 978-2-923521-21-3

I. Arbona, Marion, 1982-   . II. Titre. III. Collection: Collection Trouvailles (Longueuil, Québec).

PS8577.I358L36 2011   jC843'.54   C2011-941313-2
PS9577.I358L36 2011

Imprimé au Canada par Imprimerie F. L. Chicoine.

Éditions Trampoline
Longueuil (Québec) Canada
www.editionstrampoline.com

Pour l'aide accordée à notre programme de publication, nous remercions le gouvernement du Québec (Programme de crédit d'impôt pour l'édition de livres), la SODEC (Programme d'aide aux entreprises du livre et de l'édition spécialisée) et le Conseil des Arts du Canada (Subvention aux nouveaux éditeurs).

Conseil des Arts du Canada   Canada Council for the Arts

SODEC Québec

Québec — Crédit d'impôt livres — Gestion SODEC

Quand j'ai rencontré Nerko, il était déjà grand.
Mon histoire est inspirée de ce qu'il a vécu quand il était petit.
Quand j'ai rencontré Lapin-Chagrin, il était très petit.
Il est devenu grand au fur et à mesure que j'écrivais cette histoire.

S.N

A mes amis québécois.

M.A

Note : Ce livre contient quelques mots en langue bosniaque.
Tata, Mama, sljiva et kruska signifient Papa, Maman, prune et poire.

Le jour
où Lapin-Chagrin est apparu

La première fois que j'ai vu Lapin-Chagrin,
il était beaucoup plus petit que moi.
Pas plus haut que la tasse de café de Mama.
Aussi petit que la main d'Elko.
Avant que Lapin-Chagrin ne s'assoie dans
mon assiette, sur ma tranche de pain,
les seuls lapins que je connaissais habitaient
le clapier de notre voisin.

Avant l'arrivée de Lapin-Chagrin, il y avait
beaucoup de choses que je ne savais pas.
Je ne savais pas que la guerre pouvait
arriver. Et surtout qu'elle pouvait débarquer
un matin pendant le petit-déjeuner.

Mama a fait un petit bagage. Lapin-Chagrin a sauté sur mon épaule.
On est sortis de la maison. Puis on a traversé le champ.
Les oiseaux s'étaient cachés pour ne plus entendre les sirènes hurler.
Elko n'aimait pas les sirènes. Moi non plus. Lapin-Chagrin a étiré ses oreilles.
Il les a placées sur les miennes. Mais juste avant, il a chuchoté :
« Ne t'inquiète pas, je suis là. »

Le jour
des choses laissées derrière

On a pris le bus pour aller dans une grande ville. Avec le petit bagage
et nos vêtements dedans. Mama tenait Elko. Moi j'avais ma main
dans la grande main de Tata. Mama et Tata avaient beaucoup de silence
dans les bras. Quand le bus a démarré, on s'est retournés.
Il y avait des larmes dans nos yeux. Une pour chaque chose laissée derrière.
Le pain qu'avait fait cuire notre Majka. La confiture maison de kruski
restée sur la table. Les arbres à fruits. Le jardin. Notre pays. Et nos chiens.
À chaque larme qui coulait sur ma joue, je répétais le nom d'un chien
dans ma tête : Jeki. Miki. Ali. Jeki. Miki. Ali. Jeki. Miki. Ali…

Lapin-Chagrin n'était plus sur mon épaule.
Il était déjà gros. Il a dit :
« Nerko, ne t'inquiète pas si je grossis.
J'avale les larmes. Les peurs.
Les choses laissées derrière.
Et le nom des chiens.
Pour que rien ne se perde.
Tu comprends ? »
Je ne comprenais pas, mais j'ai fait oui.
J'ai serré la petite main d'Elko, assis à côté de moi.

Le jour
de la grande ville

On est restés dans la grande ville. À attendre. Elko et moi, on était trop petits pour savoir ce qu'on attendait. Quand la guerre entre quelque part, elle arrête les horloges et mélange les aiguilles. Elle oblige les gens à attendre.

Elko, Mama, Tata et moi, on marchait dans les rues. Beaucoup de gens marchaient. Les maisons étaient vides. Elles étaient cassées. On avait faim. Et on avait soif. Tout ce que je voulais, c'était aller dans les champs pour cueillir une ou deux kruska. Mais Tata disait que les champs étaient pleins de dangers. Chaque fois que j'avais le goût de me mettre à courir pour aller cueillir une kruska, Lapin-Chagrin enroulait ses oreilles autour de mon petit corps pour que je n'y aille pas. Il était devenu aussi grand que moi. Plus gros que moi. Pas aussi grand et aussi gros que Tata. Mais presqu'aussi fort que lui.

La nuit, quand Elko n'arrivait pas à dormir, je lui récitais le nom de nos chiens. Et Lapin-Chagrin lui chatouillait le nez avec ses moustaches. Elko pensait que c'était moi. Lapin-Chagrin souriait et moi je disais : « Fais dodo Elko. »

Le jour du village

Puis un jour, il y a eu du soleil dans les yeux de Tata.
Dans ceux de Mama. Des rires dans la bouche d'Elko
et dans la mienne aussi. Tata nous a menés dans un village.
Un village où habitaient des amis à lui. Il y avait de jolis murs.
De beaux arbres. Des jardins magnifiques.
Lapin-Chagrin aimait beaucoup l'odeur des melons
et celle un peu crottée des moutons. Elko et moi,
on a recommencé à jouer. On trouvait des jouets abandonnés.
On disait que c'était des trésors.

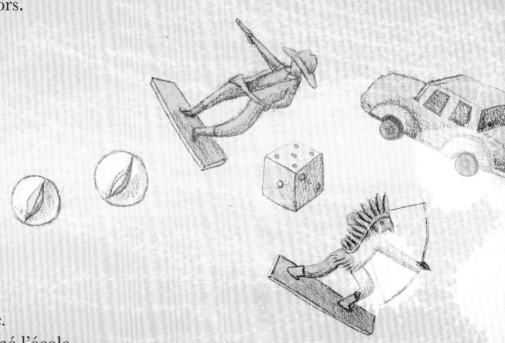

Puis Tata m'a inscrit à l'école.
Tata a toujours beaucoup aimé l'école.
J'ai dit à Lapin-Chagrin : « Tu peux t'en aller. Elko n'a plus peur.
Mama ne pleure plus. Nous n'avons plus faim. Et moi je suis grand.
Je vais à l'école maintenant. » Lapin-Chagrin a souri.
Il a remué ses moustaches et il a dit : « Je vais rester encore un peu. »

Le jour de l'avion

Ce matin-là, ça grondait dans le ciel.
C'était un très gros bruit d'avion.
On habitait une très haute maison.
Et on était la seule famille dedans.
Tata a dit : « Ça recommence. »

Elko est retourné dans les bras de Mama.
On est descendus se cacher dans le noir de l'édifice.
En bas. Au sous-sol. Nos oreilles ont reconnu les sirènes.
Nos cœurs ont cogné très fort dans nos poitrines.
Comme avant. Elko n'aimait pas le noir. Moi non plus.
Lapin-Chagrin nous attendait. Les yeux de Mama, de Tata
et d'Elko ne pouvaient pas le voir. Mais les miens, oui.
Il a allongé ses oreilles au-dessus de nos têtes. Pour faire un
parapluie de tendresse. Et il a dit : « Je mets ton cœur à l'abri. »

On a refait le petit bagage.
On a quitté les melons et l'odeur crottée des moutons.
Ce jour-là, Lapin-Chagrin a encore grossi.
Je crois qu'il a avalé des jouets et des trésors.
Mes cahiers d'école. Peut-être aussi des melons.
Mais pas de moutons. Ça, j'en suis certain.

Beaucoup de gens marchaient dans les champs.
Et nous aussi. Dans un champ, c'est difficile de
savoir qui est bon et qui est méchant. Tata disait :
« Il faut être prudent. Il faut marcher très vite. »

Je voulais regarder derrière pour voir brûler les maisons. Mais Lapin-Chagrin m'en a empêché. Il a dit : « Tu dois regarder devant et serrer très fort la main de tes parents. »
Elko et moi, on serrait très fort la main de Tata et de Mama.

Le jour
des tentes bleues

Quand on s'est arrêtés, il y avait beaucoup de fatigue dans mes pieds.
Lapin-Chagrin a dit : « Des kilomètres et des kilomètres.
C'est beaucoup pour des jambes. Beaucoup pour des petits pieds. »
Partout c'était bleu. Ce n'était pas le ciel. C'était des maisons de toile.
On venait d'arriver dans un camp de réfugiés. Il y avait du pita
qui ne goûtait pas le pita. De la viande en conserve qui goûtait une viande
que je ne connaissais pas. Du lait en flocons. Comme une neige sèche.
Mais pas de vaches. J'ai regardé partout et il n'y en avait pas.
Marcher dans un camp, c'est comme marcher dans un champ.
On ne sait pas qui est bon et qui est méchant. À cause de la guerre
qui mélange les cœurs. Elko et moi on a recommencé à jouer.
Je ne voyais plus Lapin-Chagrin.
Et j'ai recommencé à réciter le nom de nos chiens.

Le jour
du vrai poisson

On a refait le petit bagage
pour aller dans un autre camp.
Dans ce camp, il n'y avait pas de tentes bleues.
C'était une vraie ville avec de vraies maisons. On a trouvé
une place dans un bâtiment un peu brisé, mais pas beaucoup.
Je savais compter maintenant. J'ai compté trois étages. C'est là que Tata et Mama
nous ont installés. Il y avait d'autres familles et d'autres enfants.
Même si la guerre mélange les horloges, les maisons et le cœur des gens, les enfants
continuent toujours de jouer. Elko, moi et d'autres enfants, c'est ce qu'on a fait.
On fouillait les décombres pour trouver des joies. Des surprises. Des trésors.
Mais surtout pour s'inventer des jeux et des rires.
Il y avait une rivière un peu crottée. Juste un peu. Mais c'était une vraie rivière et on
s'est baignés. C'était bon de sentir nos pieds et nos mains dans de l'eau qui coule pour
vrai. Tata a capturé un poisson. Un vrai poisson. Un poisson qui gigotait.
Et on a enfin eu quelque chose de vrai à se mettre sous la dent.

Quelques jours plus tard, les gens du camp
ont séparé les hommes des femmes. Elko et moi,
on n'était pas encore des hommes.
Alors on est restés avec Mama. Tata a dit :
« Je dois trouver une solution. »
Et il est parti. Il n'y avait plus que Mama,
Elko et moi. Et là, Lapin-Chagrin
est revenu. Il a flatté ma tête
avec le bout de son oreille et il a dit :
« Ne t'inquiète pas, je suis là. »

Le jour
de la guerre aux poux

Il y avait des camions avec les lettres O-N-U dessus.
Et des bonbons pour les enfants. Mais Elko et moi,
on voulait de vraies choses : des kruska et des sljiva,
des tomates bien rouges pleines de pépins
comme celles du jardin de Mama. Le soir, il faisait très froid.
Mama nous lavait et nous examinait pour voir si on avait des poux.
Quand la guerre s'installe quelque part, elle force les Mama
à faire la guerre aux poux. « Ouf ! » faisait Mama
qui n'avait pas besoin de faire cette guerre-là.

Puis un soir, elle a murmuré
qu'on allait faire un très long voyage.
Avant de m'endormir, j'ai regardé longtemps
les yeux de Lapin-Chagrin.
Sans un mot, il a fait un long long oui de la tête.
Et pour m'endormir, il a récité le nom de nos chiens :
Jeki. Miki. Ali. Jeki. Miki. Ali. Jeki. Miki. Ali…

Le jour
du sac de poubelle noir

Un matin, en allant chercher de l'eau,
Mama nous a conduits devant une grille.
Très haute. Ça ressemblait à un grillage de poulailler.
C'était plus haut que Mama et aussi haut
que Lapin-Chagrin qui avait encore grossi.
Mama a dit qu'il fallait attendre.
Quelqu'un a crié « Azra ! Azra ! » C'est le prénom de Mama.
Un sac de poubelle noir est tombé à nos pieds.
Avec des vêtements dedans. Et une lettre.
Mama ne pouvait pas lire tous les mots. Il y avait des mots rayés.
Lire des mots rayés, c'est très difficile. Même quand on sait lire.
Le lendemain, la voix de Mama avait changé.
Sa voix était petite et elle tremblait.
Lapin-Chagrin a dit que la peur se cache parfois
dans la voix des gens. Mama avait une grosse peur
cachée dans la sienne. « Vous devez me faire confiance,
a dit Mama. On va partir et ce sera dangereux. »

Le jour du bateau

Un soir, on est partis avec Mama et le petit bagage.
On est allés sous un pont. Il y avait d'autres familles.
Il fallait monter dans un bateau. Dans les bateaux,
c'est comme dans les champs et comme dans les camps.
On ne sait pas qui est bon et qui est méchant.
On entend des mots qui causent des blessures.
Des mots comme : « Vous n'êtes rien. Vous ne valez pas plus
que des animaux. » La guerre mélange beaucoup de choses,
a dit Lapin-Chagrin avant de plonger dans l'eau.
Elle mélange aussi les mots, a-t-il ajouté avant de se mettre à nager.
Dans le bateau, il fallait se cacher de la lumière et des chiens.
Le capitaine du bateau avait une étrange voix.
On aurait dit que sa bouche était une caverne.
Que sa voix était au fond. Avant qu'on quitte le bateau, il a dit :
« Traversez la forêt. Une voiture vous attend de l'autre côté. »

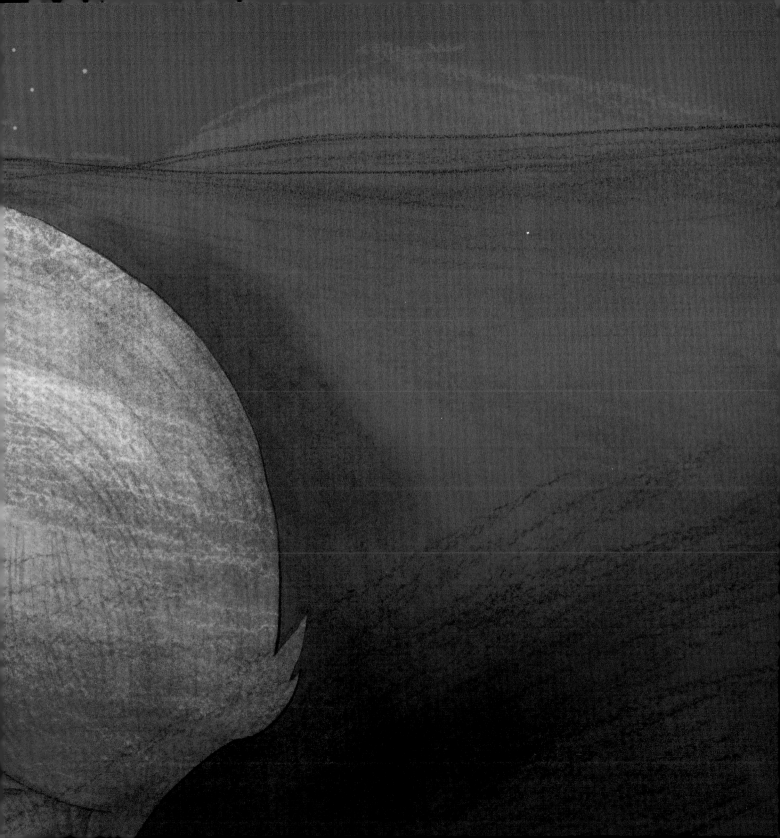

Dans la forêt, il y avait de la neige.
Mama portait un manteau rouge. Elle était belle
dans le rouge avec le blanc tout autour. Elko et moi,
on s'agrippait à Mama. Au loin, des chiens aboyaient.
Au travers des arbres, on voyait des maisons.
Puis Elko a perdu sa botte. Et son pied avait très froid.
Mama le tenait dans ses bras. Elko pleurait. Il pleurait
parce que son pied voulait sa botte.

Quand il y a la guerre, chaque seconde compte. À cause du mélange
des aiguilles et du temps qui n'est plus comme avant. Si on prend
trop de temps pour trouver une botte, ça peut être dangereux.
Mama ne savait pas quoi faire. Elle s'est retournée pour voir.
Je me suis retourné aussi. La botte était là. On l'a ramassée très vite.
Mais Mama avait peur des dangers qui se cachent dans la forêt.
Peur des chiens au loin. Peur aussi de ne pas arriver à temps.

Puis on a vu la voiture qui attendait de l'autre côté
de la forêt. Nos papiers d'identité étaient dedans.
Et le chauffeur nous a conduits à une maison.
Et les gens de la maison ont ouvert la porte.
Il y avait de la confiture sur la table. On ne connaissait
pas les gens. Mais ils étaient gentils. La vieille dame
qui a pris soin de nous disait : « Vous allez retrouver
votre famille. »

Cette nuit-là, Lapin-Chagrin a glissé son oreille
par la fenêtre et il est venu me chatouiller. J'ai dit :
« Tu nous a retrouvés. » Il a répondu qu'il ne nous
avait jamais perdus.

Le jour de tous les jours d'Elko

Parfois Elko me demande de raconter
comment on a retrouvé Tata. Il sait comment.
Mais je le lui raconte chaque fois qu'il le demande.
« Un jour, Tata était là. Il se tenait debout
et nous tendait les bras. Il souriait.
Il sentait bon le Tata de nos jours d'avant. »
Elko ajoute toujours ses mots à lui :
« Et on a retrouvé notre grand-mère.
Et Grand-mère a recommencé à jouer
dans nos cheveux. » Et chaque fois, je souris.

Je n'ai pas dit à Elko que, ce jour-là,
Lapin-Chagrin se tenait tout près de Tata.
Que Lapin-Chagrin était devenu géant.
Qu'il m'a soufflé à l'oreille que tout était terminé.
Que Tata, Mama, Elko et moi, on allait
dans un nouveau pays. Que lui, il resterait là-bas
pour que rien ne se perde. Puis il s'est éloigné
en récitant le nom de nos chiens.

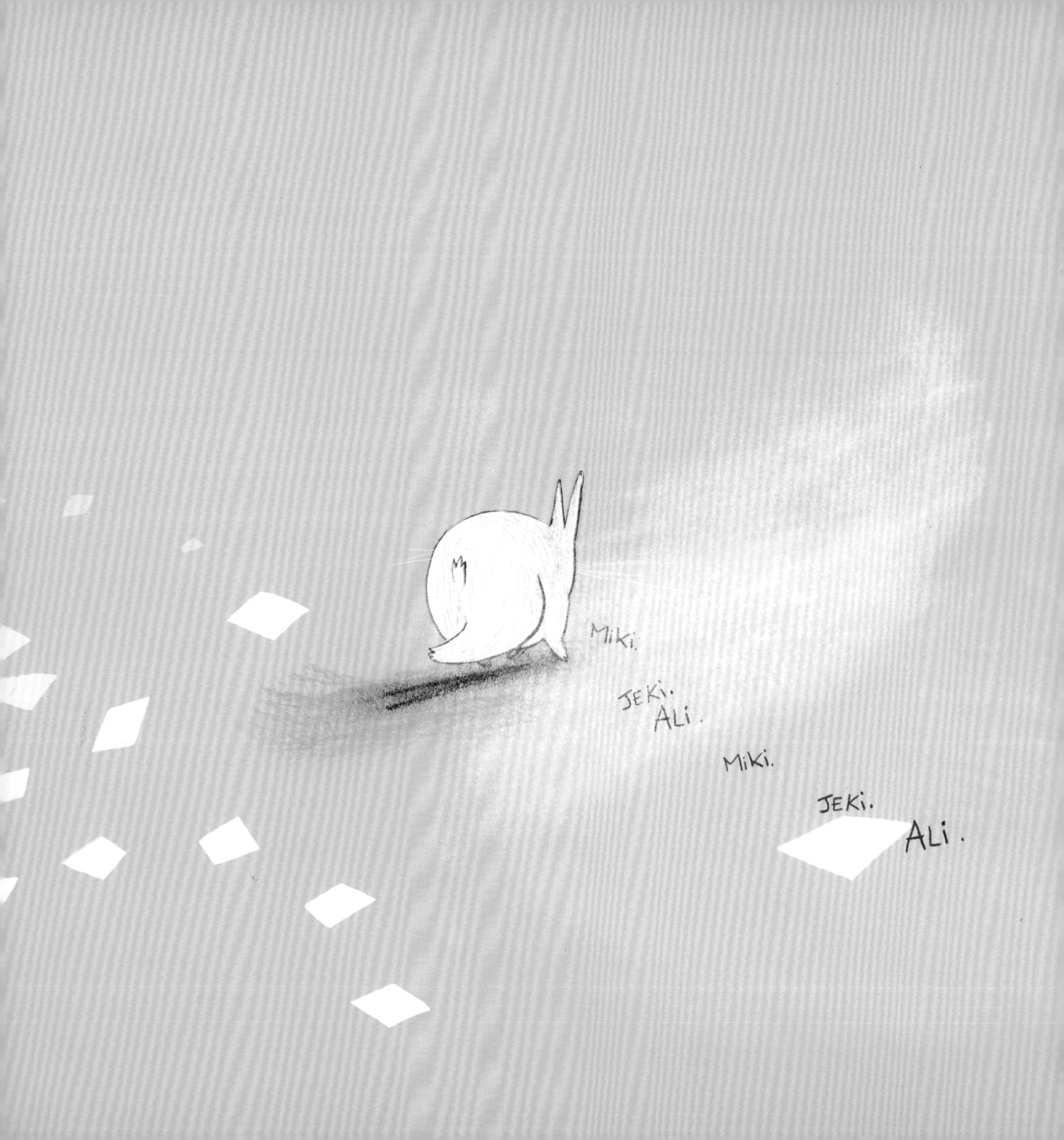
Miki.
JEKi.
ALi.
Miki.
JEKi.
ALi.